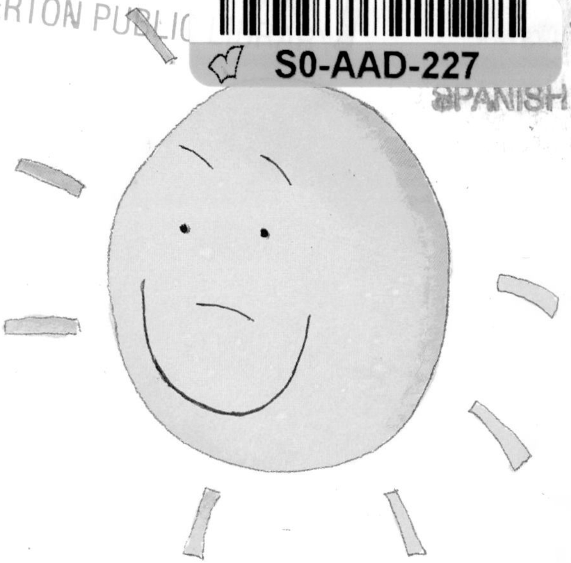

Traducción del inglés: Mònica Artigas Romero
para Equipo de Edición, S.L., Barcelona
Redacción y maquetación: Equipo de Edición, S.L., Barcelona

ISBN 1-40546-494-1
Impreso en Malasia/Printed in Malaysia

Mi madre es fantástica

Texto de Gaby Goldsack
Ilustraciones de Sara Walker

Mi madre es **fantástica**.
Es genial en todos los aspectos.
De hecho, es **única**.

Cuando se levanta, lo primero que hace
es meterse en el baño. Por arte de magia,
la mamá de noche se convierte...

¡en la mamá de día!

Mamá es capaz de enfrentarse a cualquier cosa, ¡incluso a los terribles monstruos que hay debajo de mi cama!

¿A que es muy valiente?

Mi madre no tiene miedo de nada.

Siempre sale airosa de cualquier situación.

Mi madre nunca me decepciona.

Puede encontrar mi osito de peluche cuando yo
ya lo he buscado por todas partes y empiezo
a pensar que no volveré a verlo nunca más.

Por si fuera poco,
mamá me zurce los muñecos.

¡Y los deja como nuevos!

La verdad es que mi madre puede arreglarlo todo...

...¡menos la lavadora!

Mamá tiene mucho olfato para
saber cuándo estoy haciendo travesuras.

Pero siempre se le pasa el enfado muy pronto.

Con mamá siempre me lo paso bomba.
Muchas veces me lleva a dar una vuelta en bici.

Además, mi madre es muy **lista**.

¡Siempre encuentra la respuesta
a todas mis preguntas!

Mamá es una cocinera **excepcional**.
¡Prepara unos platos que están de rechupete!

¡TACHÁÁÁÁN!

Mi madre me hace reír cuando estoy triste.

Me hace sentir mejor con sólo
un abrazo **mágico**.

Al final del día, mamá va perdiendo fuerzas. Cuando me pongo el pijama, vuelve a convertirse en mamá de noche.

Pero no me importa el aspecto que tenga,
porque sea como sea y haga lo que haga...

¡mi madre es FANTÁSTICA!